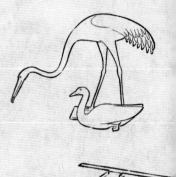

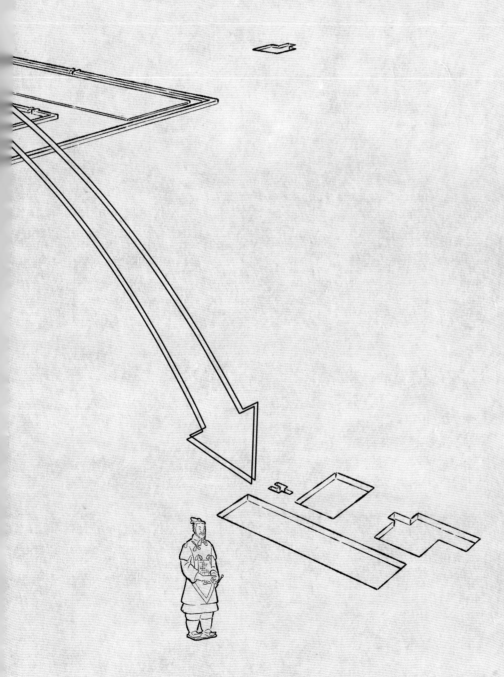

图书在版编目（CIP）数据

兵马俑 / 崔彦斌著. — 北京：北京科学技术出版社，2021.5（2024.6重印）
ISBN 978-7-5714-1528-0

Ⅰ.①兵… Ⅱ.①崔… Ⅲ.①秦俑 – 儿童读物 Ⅳ.①K878.9–49

中国版本图书馆CIP数据核字（2021）第071064号

策划编辑：阎泽群	电　话：0086-10-66135495（总编室）
责任编辑：张　艳	0086-10-66113227（发行部）
封面设计：沈学成	网　址：www.bkydw.cn
图文制作：天露霖文化	印　刷：北京捷迅佳彩印刷有限公司
责任印制：李　茗	开　本：787 mm×1092 mm　1/12
出 版 人：曾庆宇	字　数：38 千字
出版发行：北京科学技术出版社	印　张：3
社　址：北京西直门南大街16号	版　次：2021 年 5 月第 1 版
邮政编码：100035	印　次：2024 年 6 月第 5 次印刷
ISBN 978-7-5714-1528-0	

定　　价：42.00 元

兵马俑

崔彦斌 著

北京科学技术出版社

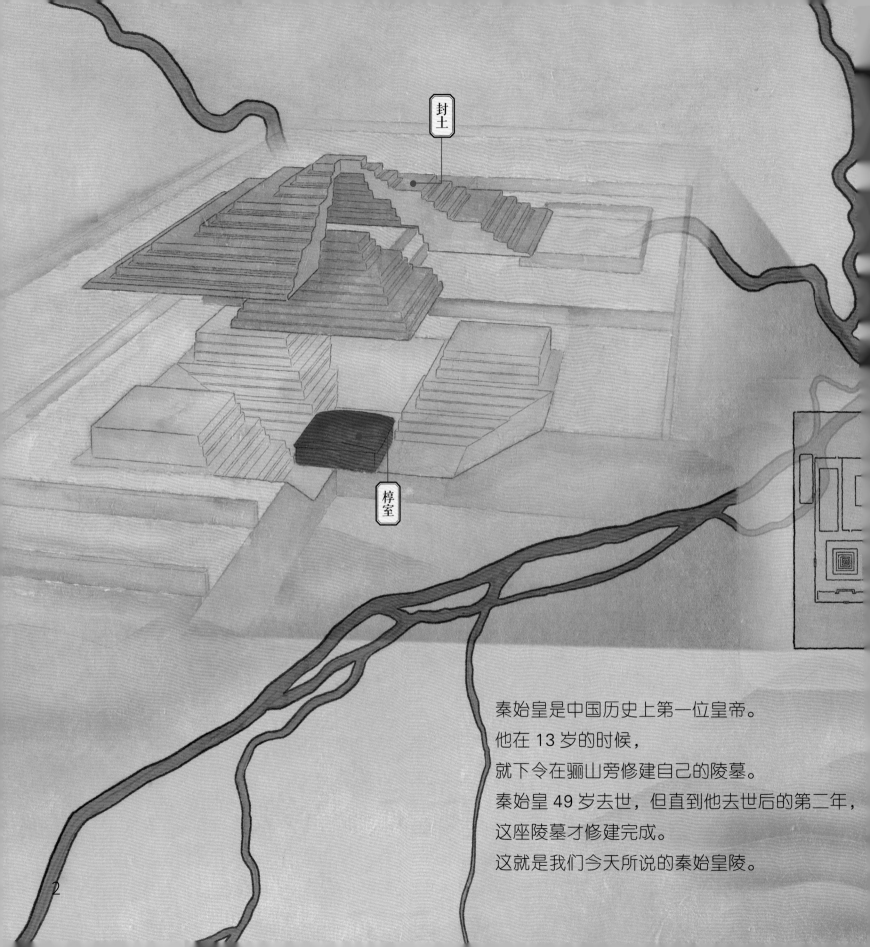

封土

椁室

秦始皇是中国历史上第一位皇帝。

他在 13 岁的时候,

就下令在骊山旁修建自己的陵墓。

秦始皇 49 岁去世,但直到他去世后的第二年,

这座陵墓才修建完成。

这就是我们今天所说的秦始皇陵。

除了秦始皇的陵墓，
陵园里还有供秦始皇死后享乐的各式宫殿和设施。
另外，在陵园的东部，
秦始皇还为自己打造了地下军队，
也就是秦始皇兵马俑。

兵马俑，就是古代殉葬用的陶俑和陶马等。

为了制作这些兵马俑，秦始皇从全国挑选了很多工匠。

在数十年的时间里，他们制作了近万件兵马俑。

冬

练泥

骊山位于我国北方，四季温差大。
为了避免兵马俑在制作过程中由于热胀冷缩而开裂，
工匠们需要选择一处温度恒定的场所作为"生产车间"。
但兵马俑的制作地点至今仍然是一个谜。

夏

兵马俑虽然数量非常多，
但是没有任何两件是一样的。
我们不难想象，在制作兵马俑的过程中
工匠们付出了多大的努力。

①制作底板。

②制作双脚及双腿。

③双腿之上塑起椭圆形泥盘，
作为躯干的底盘。

④用泥条盘筑法制作躯干，并
拍打定型。

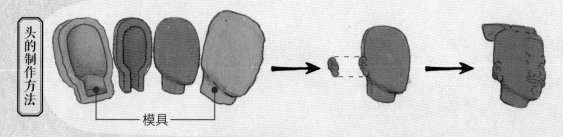

制作陶俑的头时，工匠们会先用模具制作出头的大体轮廓，然后在轮廓上覆泥，仔细塑出眉眼、胡须、发丝等细节，以产生"千人千面"的效果。

头的制作方法

模具

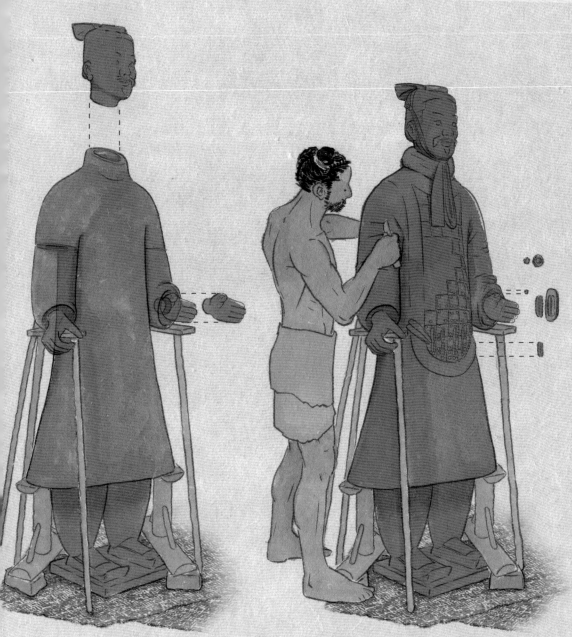

⑤拼装提前做好的双臂、双手与头。

⑥覆泥，塑造或粘贴铠甲、服装褶皱、腰带带钩等。

⑦泥胎便制作好了。

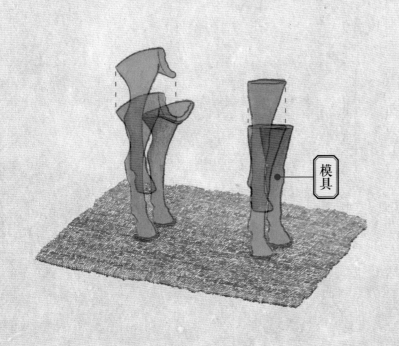

模具

战车前的陶马

制作陶马时，需要先做好马的四肢，
并将四肢摆放在相应的位置，
随后在四肢上拼装空心的躯干。
由于陶马的躯干极重，又易碎，
所以拼装过程中需要用木桩支撑住，
防止受损。
拼装好躯干后，就可以装马头和马尾了。
为了让马头连接得更加牢固，
工匠们会在躯干上留一个洞，
在躯干里面用泥加固马头与躯干的连接处。
最后，在泥胎上整体覆泥，塑出细节。

骑兵旁的陶马

8

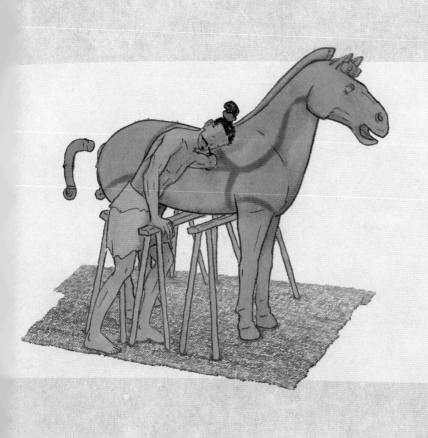

塑造好的泥胎经过 1000 ℃左右的高温烧制后，
就会变坚硬，敲击时还会发出金属声。
陶俑和陶马的隐蔽处还留有一些小孔，
以在烧制时通火、透气，避免炸裂。

为了让兵马俑看起来栩栩如生，
在烧制完成后，工匠们还会在兵马俑上涂上鲜艳的颜色。
首先，工匠们会在烧制好的兵马俑表面涂一层生漆，
以便颜料更好地附着。
上色所用颜料的原料多是彩色矿石。
将矿石磨成粉后，再与用动物骨皮熬成的胶、奶、蛋清等物混合，
便制成了颜料。

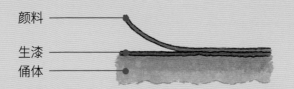

颜料 ————
生漆 ————
俑体 ————

工匠们通常采用平涂的方法给陶俑的衣物直接上色。
而给陶俑面部、双手等部分上色时，则先涂一层白色打底，
再涂一层粉红色，
这样得到的颜色与人体肤色十分接近。

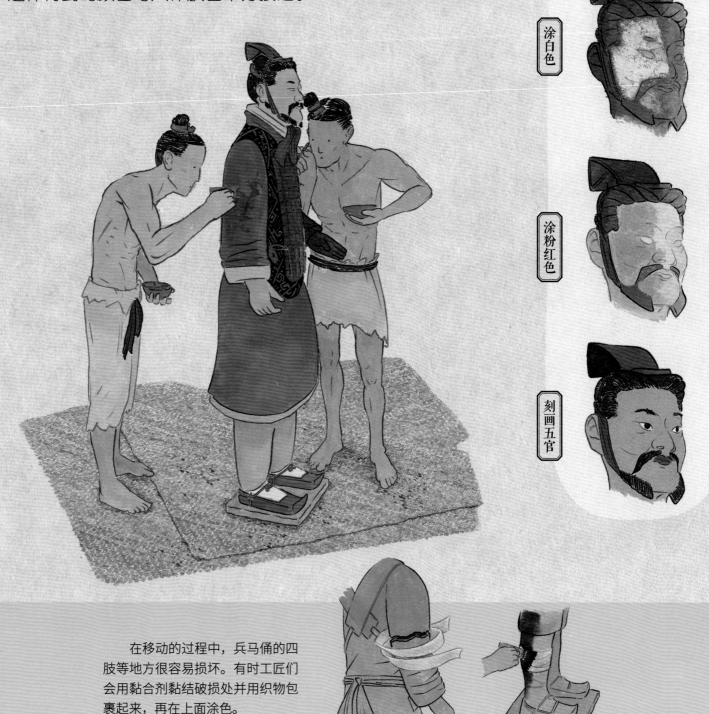

涂白色

涂粉红色

刻画五官

在移动的过程中，兵马俑的四肢等地方很容易损坏。有时工匠们会用黏合剂黏结破损处并用织物包裹起来，再在上面涂色。

战车在当时是国力的象征，
但作战能力有限，造价与维护费用高昂。

御手俑

头戴单板长冠，身穿长襦，躯干、脖颈、手臂、手腕处均有铠甲保护，双手前伸牵着辔（pèi）绳。

干御
长兵

陶俑、陶马和兵器制作好了，
便组成了一支威武雄壮的军队。
陶俑有军吏俑、车士俑、御手俑、立射俑等，
每个陶俑都配有相应的武器。

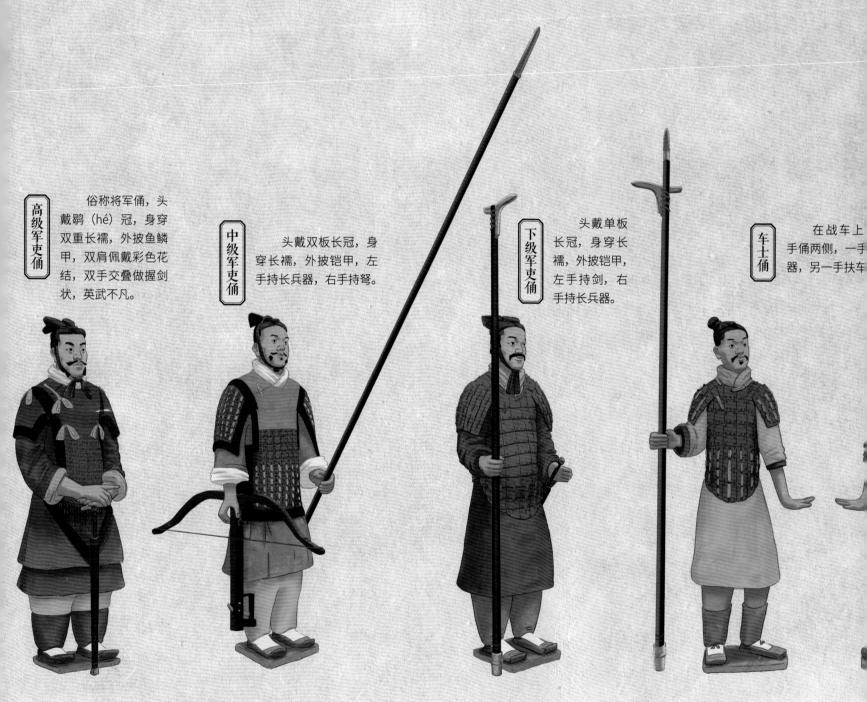

高级军吏俑 俗称将军俑，头戴鹖（hé）冠，身穿双重长襦，外披鱼鳞甲，双肩佩戴彩色花结，双手交叠做握剑状，英武不凡。

中级军吏俑 头戴双板长冠，身穿长襦，外披铠甲，左手持长兵器，右手持弩。

下级军吏俑 头戴单板长冠，身穿长襦，外披铠甲，左手持剑，右手持长兵器。

车士俑 在战车上手俑两侧，一手器，另一手扶车

采矿

军队怎么能没有兵器？

兵马俑坑中也出土了大量青铜兵器。

在修建秦始皇陵时，冶铁技术还不成熟，

当时盛行的还是青铜器。

孔雀石是当时主要的冶铜原料，

它和木炭在高温下反应即可得到铜。

工匠们还会用兽皮制作风箱，以增大火力，提高火焰温度。

运输

粗炼

兵马俑中的青铜兵器都是通过铸造成型的。
将铜熔化后，加入其他金属，倒入模具，
冷却后取出，再打磨、抛光，
就得到了一件精美的青铜兵器。

精炼

浇铸

开模

由于陶俑数量很多，同一兵种也会有不同的服饰及兵器，此处仅挑选一些具有代表性的陶俑做简单介绍。此外，因为出土的兵马俑破损严重，所以本页中所绘制的兵马俑手持的兵器多是后人根据动作推测出来的。

——作者注

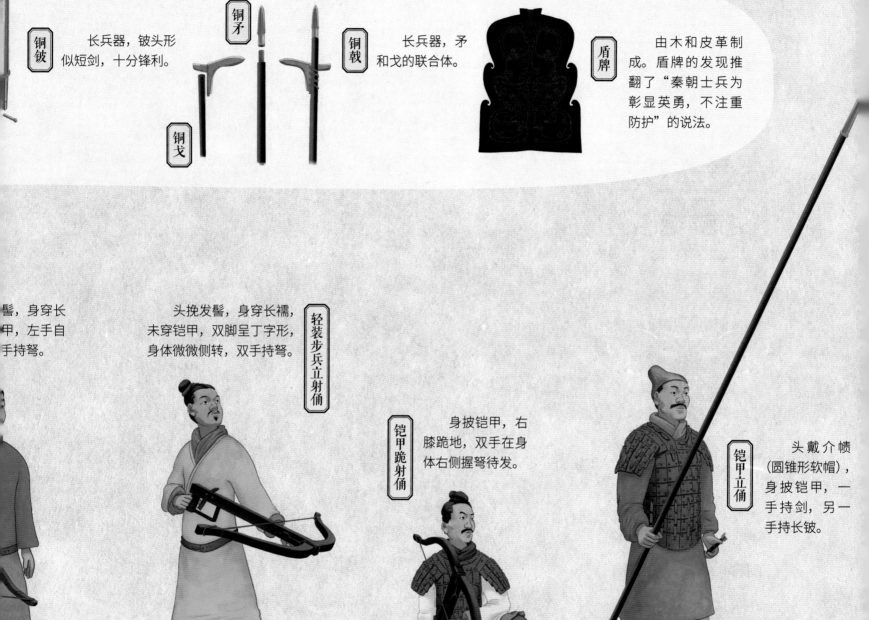

铜铍 长兵器，铍头形似短剑，十分锋利。

铜矛

铜戈

铜戟 长兵器，矛和戈的联合体。

盾牌 由木和皮革制成。盾牌的发现推翻了"秦朝士兵为彰显英勇，不注重防护"的说法。

髻，身穿长□甲，左手自□手持弩。

头挽发髻，身穿长襦，未穿铠甲，双脚呈丁字形，身体微微侧转，双手持弩。

轻装步兵立射俑

铠甲跪射俑 身披铠甲，右膝跪地，双手在身体右侧握弩待发。

铠甲立俑 头戴介帻（圆锥形软帽），身披铠甲，一手持剑，另一手持长铍。

战鼓与甬钟

指挥战车上配有战鼓与甬钟，以发出作战信号，指挥士兵进攻、撤退、变换阵形。

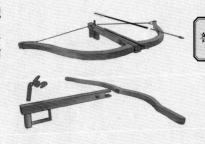

弩

有效射程 100 米，是当时世界上最精准的武器，重要机件——弩机是青铜的，所配弓箭的箭镞也是青铜的。为了方便维修，秦朝的弩规格标准、零件通用，极大地提高了制作效率。

头戴皮弁（皮制圆帽），身披铠甲，右手牵马，左手持弩。与步兵俑的衣着不同，袖口较窄，铠甲较短，下身穿长裤，方便骑马。由于秦朝没有马镫，骑兵想在马上保持平稳，需要很高的骑术。

骑兵俑

轻装步兵立俑

头挽……襦，未穿……然下垂，……

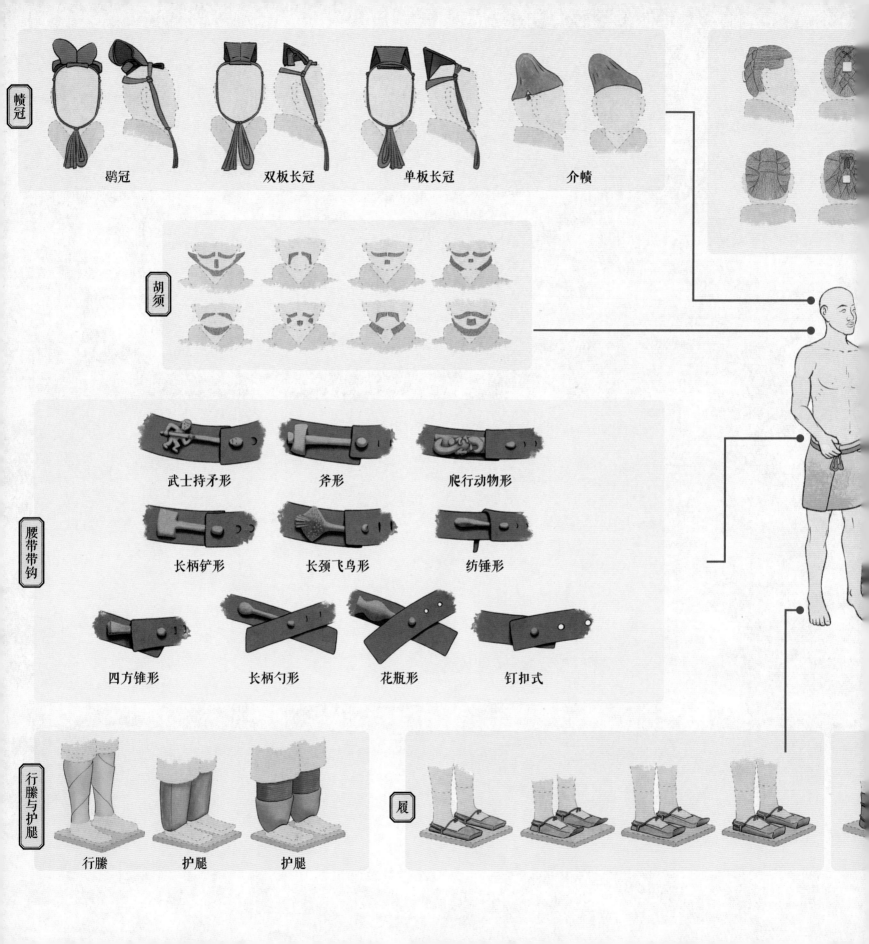

帻冠

鹖冠　　双板长冠　　单板长冠　　介帻

胡须

腰带带钩

武士持矛形　　斧形　　爬行动物形

长柄铲形　　长颈飞鸟形　　纺锤形

四方锥形　　长柄勺形　　花瓶形　　钉扣式

行滕与护腿

行滕　　护腿　　护腿

履

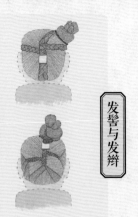

陶俑的胡须、发辫样式各不相同，服饰也多种多样，
其中既有长襦、行滕、履这样的中原地区传统服饰，
又有靴子这样的来自少数民族的"胡服"。
快让我们看看这些服饰有什么特点吧。

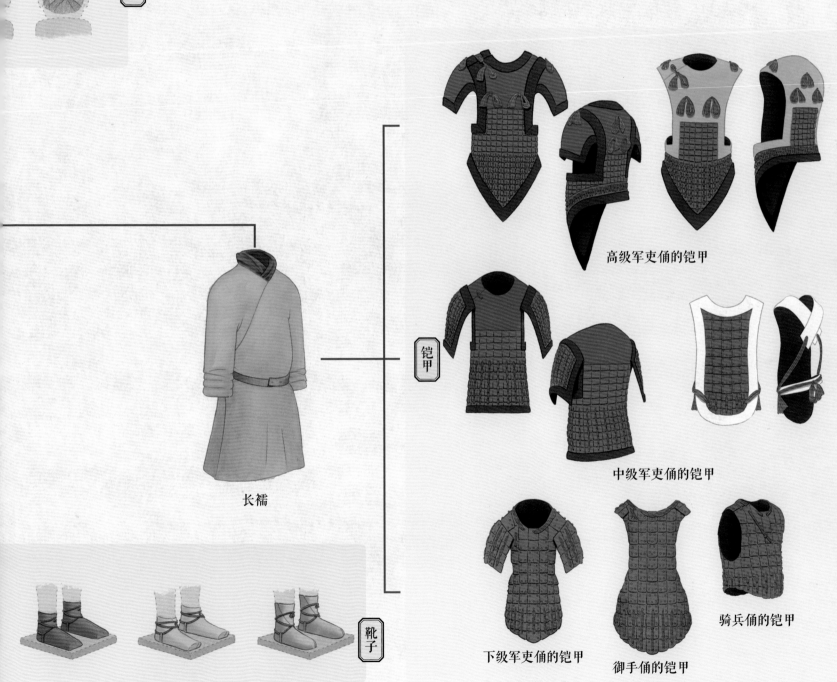

长襦

铠甲

靴子

高级军吏俑的铠甲

中级军吏俑的铠甲

下级军吏俑的铠甲

御手俑的铠甲

骑兵俑的铠甲

21

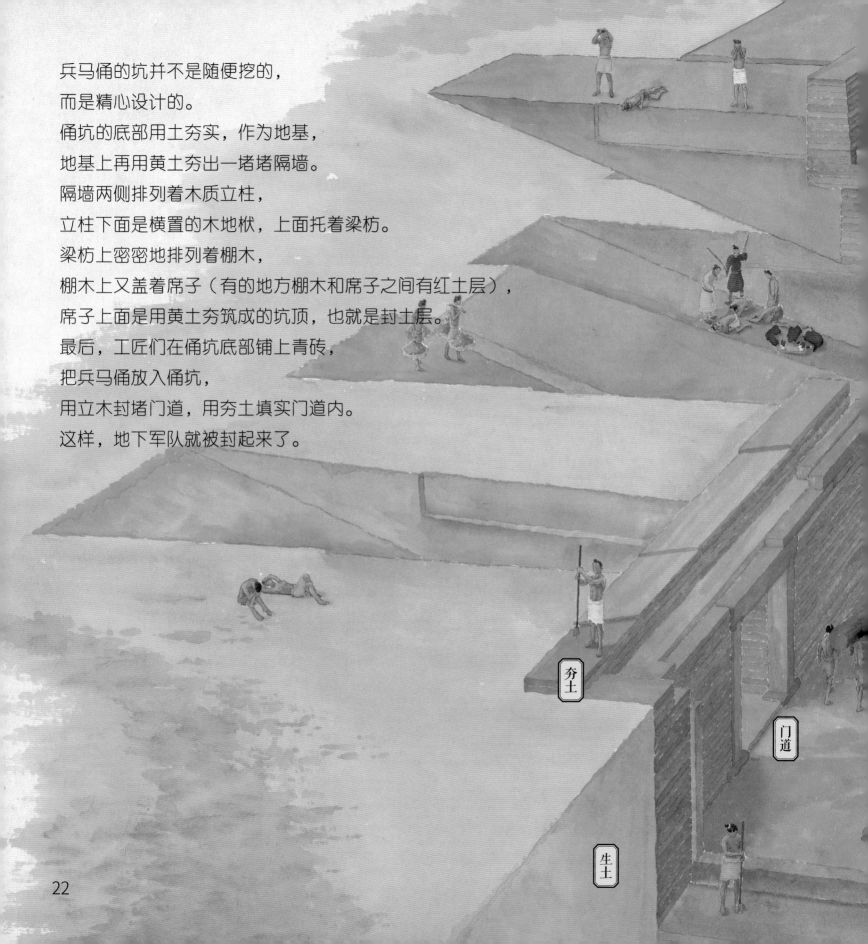

兵马俑的坑并不是随便挖的，
而是精心设计的。
俑坑的底部用土夯实，作为地基，
地基上再用黄土夯出一堵堵隔墙。
隔墙两侧排列着木质立柱，
立柱下面是横置的木地栿，上面托着梁枋。
梁枋上密密地排列着棚木，
棚木上又盖着席子（有的地方棚木和席子之间有红土层），
席子上面是用黄土夯筑成的坑顶，也就是封土层。
最后，工匠们在俑坑底部铺上青砖，
把兵马俑放入俑坑，
用立木封堵门道，用夯土填实门道内。
这样，地下军队就被封起来了。

夯土

门道

生土

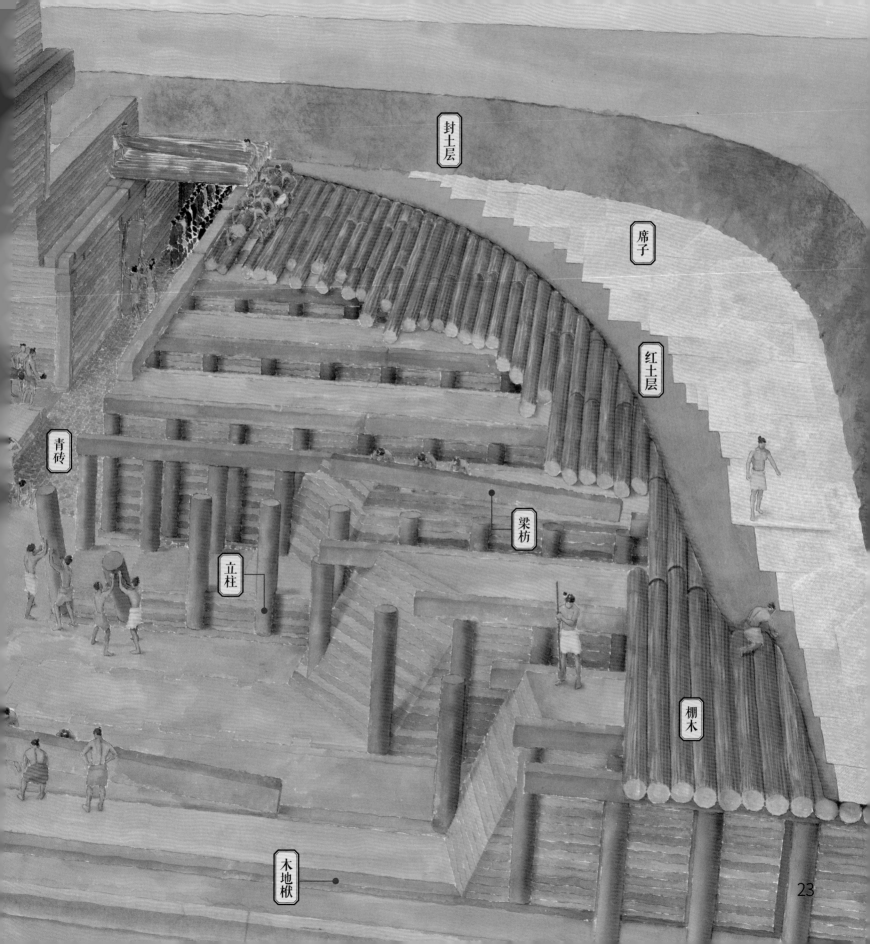

封土层

席子

红土层

梁枋

立柱

青砖

棚木

木地栿

23

既然是军队，当然要讲究排兵布阵。

古人作战，讲究正兵和奇兵相配合。

通常来说，正兵为主力部队，负责正面抗敌；

奇兵则机动灵活，可以出奇制胜。

兵马俑就体现了这种排兵布阵的思路。

一号坑俯视图

三号坑俯视图

三号坑示意图

一号坑示意图

兵马俑共有 3 个坑，

一号坑最大，里面排布的都是正兵，

有大约 6000 件兵马俑及 50 余乘战车，

前三排多为手持弓弩的步兵俑。

二号坑排布的是奇兵，

由弓弩步兵方阵、战车方阵、骑兵方阵等组成，

既可以侧面进攻，配合主力部队夹击敌军，

又可以突袭、分割、包围敌军。

三号坑最小，是指挥中心所在地，

将领在那里指挥全军作战。

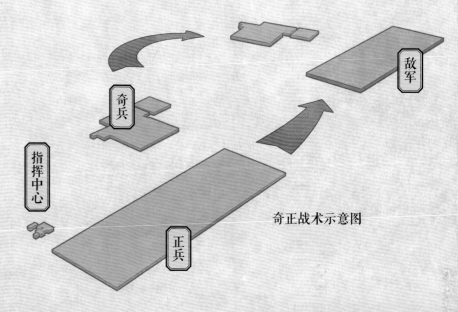

奇正战术示意图

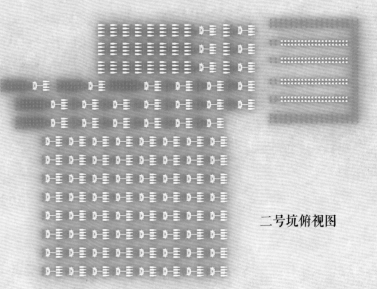

二号坑俯视图

二号坑示意图

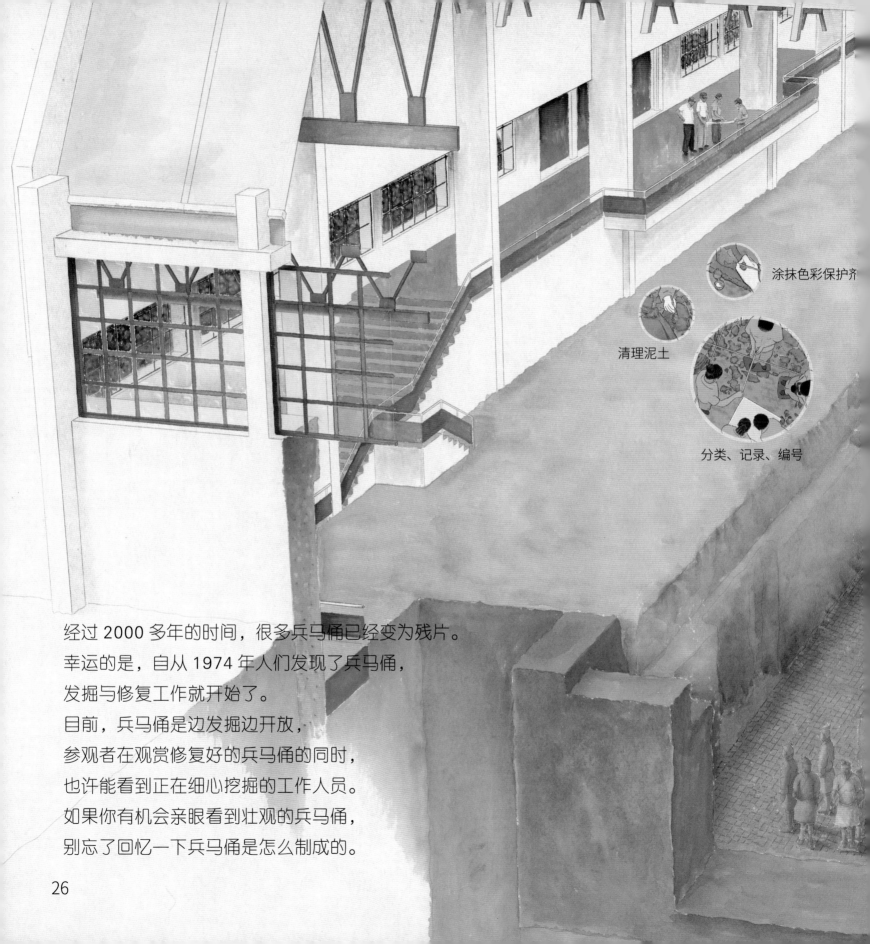

涂抹色彩保护剂

清理泥土

分类、记录、编号

经过 2000 多年的时间，很多兵马俑已经变为残片。
幸运的是，自从 1974 年人们发现了兵马俑，
发掘与修复工作就开始了。
目前，兵马俑是边发掘边开放，
参观者在观赏修复好的兵马俑的同时，
也许能看到正在细心挖掘的工作人员。
如果你有机会亲眼看到壮观的兵马俑，
别忘了回忆一下兵马俑是怎么制成的。

26

细致清理　　　　　　手绘陶片病变图　　　　拼接、加固支架、包裹塑料膜　　　建立详细档案

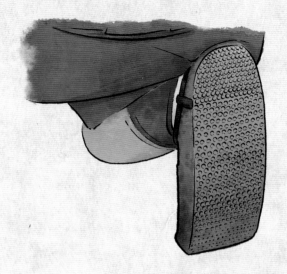

鞋底

一些兵马俑的鞋底上细细刻画了圆形针脚。如果有机会看到兵马俑，你一定不要错过每一处细节。

雍颈

类似于围巾，可以包裹住颈部，不仅能抵挡风寒，而且对箭矢也有一定的防御作用。

绿脸俑

目前出土的陶俑中，有一件的脸竟然是绿色的。至于为何会如此，至今没有答案。

生漆

来自漆树。割开漆树的树皮，就会获得生漆。

泥条盘筑

将泥搓成泥条，一圈圈地盘成需要的造型，就像用长长的苹果皮围绕出苹果的形状一样。

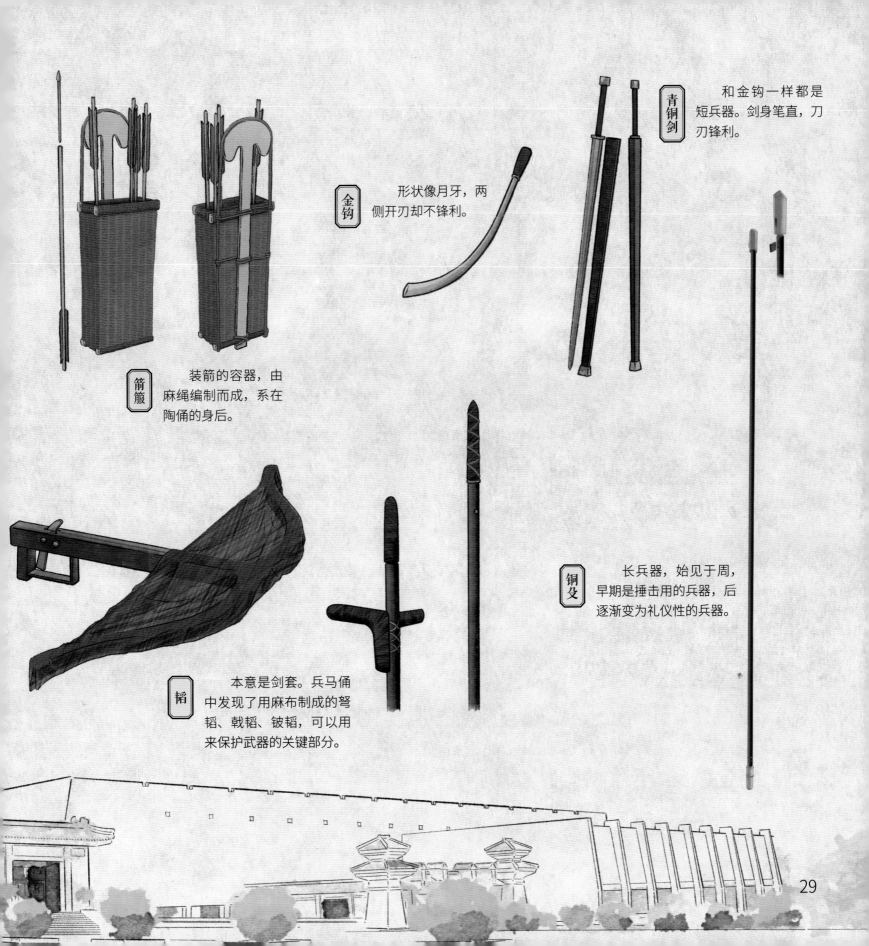

青铜剑
和金钩一样都是短兵器。剑身笔直，刀刃锋利。

金钩
形状像月牙，两侧开刃却不锋利。

箭箙
装箭的容器，由麻绳编制而成，系在陶俑的身后。

铜殳
长兵器，始见于周，早期是捶击用的兵器，后逐渐变为礼仪性的兵器。

韬
本意是剑套。兵马俑中发现了用麻布制成的弩韬、戟韬、铍韬，可以用来保护武器的关键部分。

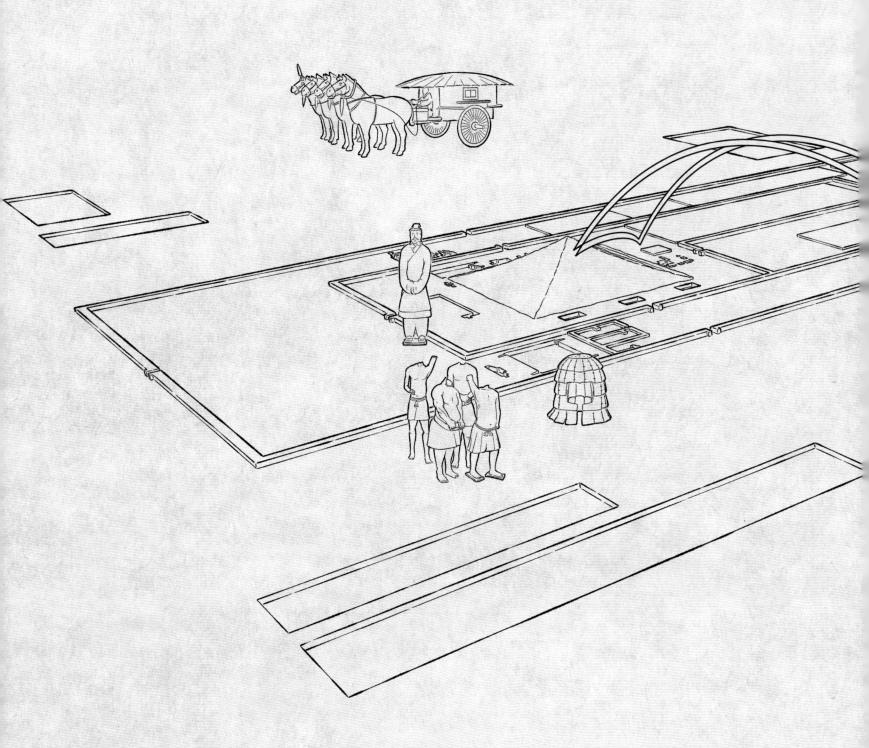